HOROSCOPE DES JEUNES

Illustrations: An De Bode.
Traduction française: Y. MORDANT.
D-MCMXCIII-0001-26

HOROSCOPE DES JEUNES

Chantecler

Table des matières

QU'EST-CE QUE L'ASTROLOGIE?

Le terme "Astrologie", tiré du grec, signifie littéralement "Science des étoiles".
Le principe fondamental est que le Soleil et les planètes influencent les activités sur terre. Jadis, on pensait que la Terre était le centre de l'univers, autour duquel le Soleil et les planètes tournaient.
La présence de ces astres était censée influencer notre vie quotidienne. Lorsque, à la fin du Moyen Age, Copernic démontra que le Soleil, et non la Terre, était au centre de l'univers, certains savants qualifièrent l'astrologie de "supercherie".
Néanmoins, l'intérêt pour l'astrologie restait vif. On avait sans cesse remarqué la corrélation entre la situation des planètes ou l'horoscope et le caractère des individus ou les événements qui se déroulaient sur Terre. Ce n'est pas pour rien que les astrologues modernes tentent de démontrer scientifiquement que les corps célestes influencent réellement la vie terrestre.
Ces astrologues font notamment référence au rythme biologique des individus.
Cette approche scientifique a permis de redorer le blason de l'astrologie.

LES ORIGINES

L'astrologie est plus que millénaire. Son origine est difficilement datable.
De nombreuses peuplades préhistoriques se sont adonnées de près ou de loin à l'astrologie.
Celle qui a cours en Occident doit être née il y a quelque 3 500 ans, en Mésopotamie, au Moyen-Orient.

A cette époque, l'astrologie n'était pas axée sur les individus, mais plutôt sur les événements importants, tels que les catastrophes, les guerres et les phénomènes naturels. Au IVè siècle avant J.-C., les Grecs furent les premiers à prédire l'avenir d'êtres humains en se référant à leur date de naissance et à définir les signes du zodiaque, tels que le Bélier, le Verseau, le Taureau.

L'ASTROLOGUE

L'astrologue observe la position des astres au moment de la naissance. Etant donné que la course des planètes peut être déterminée avec précision, les astrologues parviennent à prévoir l'avenir.

Ces prévisions ne sont toutefois pas exemptes de risques. Elles ne doivent pas être prises pour argent comptant. L'individu a également son propre avenir entre les mains.

C'est à lui de décider par exemple ce qu'il veut devenir plus tard. Les planètes ne le feront pas à sa place.

C'est pourquoi des individus d'un même signe peuvent être tout à fait différents les uns des autres.

Il est également faux de prétendre que certains signes sont bons et d'autres mauvais. Chaque signe a son bon et son mauvais côté. Le présent ouvrage détaille ces différents aspects. Tout l'art consiste à exploiter au mieux nos côtés positifs et à contrôler les négatifs.

BELIER

(21 mars - 20 avril)

CARACTERE

Le Bélier est armé de deux solides cornes sur le front et cela se remarque!
Toujours prêt à foncer, il est très courageux et toujours prêt à relever un défi.
Sûr de lui, il fonce sur son but.
Le Bélier est un gagneur.
Il ne sort pas uniquement vainqueur des compétitions (sportives), mais aussi des discussions qu'il entreprend. Le Bélier cherche toujours à avoir le dernier mot de la conversation. Lorsqu'il a un plan en tête, il l'applique coûte que coûte. Veut-il grimper au sommet de la montagne? Il y parvient, et en empruntant le chemin le plus escarpé.
Si ses amis le mettent en garde du danger, il ne s'en soucie guère. "Le danger? Je n'en ai que faire!" Les risques, il ne les voit pas. Lorsqu'il en rencontre, son courage l'aide à les affronter.
Le courage du Bélier lui permet de se tirer de toutes les situations fâcheuses et de les maîtriser.
Aussi à l'aise sur les barricades qu'à la maison, où il fait la pluie et le beau temps.
"Ils veulent tracer une nouvelle route à travers bois? Je dois les en empêcher!", déclarera bien fort un Bélier écolo. Peu lui importe que cette route soit par ailleurs très utile aux pompiers pour lutter contre les incendies de forêt.
Avec le Bélier, si c'est bon, c'est bon et si c'est mauvais, c'est mauvais.
A moitié bon ou à moitié mauvais, pour un Bélier, cela n'existe pas.

BELIER

PASSIONS

Passer une soirée en famille au coin du feu? Pfffft! Pas assez prenant.
Le Bélier a soif d'aventures.
Au cinéma, rien de tel qu'un film d'action. Pas un film du genre *Rambo*, mais un film dans lequel le héros se bat pour une bonne cause.
Face à l'écran, le Bélier s'identifie toujours au personnage.
Les expéditions polaires et les safaris, il adore!
Les vacances du Bélier sont bien sûr placées sous le signe de l'aventure.

Equipé de vêtements de sport et de chaussures de marche, il descend des rivières en canoë, fait du vélo tout terrain, s'adonne à l'alpinisme et se risque même au parachutisme.
Ses destinations favorites sont la Norvège ou l'Espagne.
Lézarder au soleil sur une plage, non merci! C'est bien trop embêtant!
A peine rentré de vacances, le Bélier enfourche son vélo ou fait un jogging dans les bois.
Les sports d'équipe ne l'intéressent pas.
Tous ces faiblards ne parviennent pas à suivre!
En bon Bélier, il préfère, bien sûr, garder tous les honneurs pour lui!

AMOUR

Lorsqu'un garçon tombe amoureux d'une demoiselle Bélier, il doit éviter à tout prix une chose: essayer de la séduire.
C'est exactement l'inverse de ce qu'elle souhaite.
Pour un Bélier, séduire est un véritable sport.

BELIER

Dès lors, rien n'est plus savoureux que ce sentiment de victoire après avoir accroché à l'hameçon l'homme de ses rêves.

Cet homme ne sera ni un macho ni un charmeur entouré d'une multitude de femmes, puisque sa compagne Bélier doit être son seul centre d'intérêt. L'heureux élu peut alors tout au plus prendre place à ses côtés. La femme Bélier se choisira un mari qui pourra se sacrifier tout entier à elle et applaudira à sa réussite.

Le danger sera toutefois que, lorsqu'elle aura gagné son cœur, son admiration ne s'atténue.

L'heureux élu a donc intérêt à ce que le Bélier ait toujours un défi à relever. S'il y parvient, il est assuré d'une vie sentimentale riche et dynamique.

L'homme du signe du Bélier veut, à l'instar de son congénère féminin, conquérir son partenaire. Surtout au début de leur aventure, tout feu tout flammes! Très vite, il lui montrera que c'est lui qui porte le pantalon. Les Béliers s'accordent très bien aux Taureaux et aux Poissons, signes caractérisés par la recherche d'une protection. A ce propos, le Bélier s'y entend à merveille.

Par contre, la Balance et le Cancer, beaucoup trop méfiants, s'entendent moins bien avec le Bélier. Leur manque d'esprit de décision l'agace.

Le Sagittaire n'est pas son signe favori non plus. Il est beaucoup trop raisonnable!

BONHEUR

Le Bélier n'est heureux que lorsqu'il y a de l'action. Si, en outre, on y ajoute une dose de compétition, qui lui permet de devancer tous les autres, par exemple à l'école, en sport ou dans des jeux de société, le Bélier est alors aux anges.
Derrière cette énergie se cache le danger de ne pas se rendre compte que, parfois, les accus se vident.
Le Bélier continue à foncer, au risque de se fracasser contre un obstacle.
Il lui est dès lors conseillé de se reposer de temps en temps, pour récupérer des énormes efforts consentis auparavant.

CARRIERE

Durant son enfance, le Bélier est incapable de décider ce qu'il souhaite devenir. Peu lui importe, en fait, pourvu qu'il y ait de l'action et du prestige à en retirer. Les métiers qui exigent de la patience, tels que restaurateur ou thérapeute, lui sont exclus. Ce dont le Bélier a besoin, c'est d'un emploi qui permet de "faire un score", et qui, de préférence, montre aux autres l'ampleur du succès. Ce succès rapporte autre chose que la gloire: de nombreux Béliers occupent des fonctions très confortablement rémunérées.
Pourtant, l'argent n'est pas sa principale préoccupation: s'il en gagne beaucoup, le Bélier peut également être dépensier.
Le Bélier a de gros problèmes avec ses supérieurs. Il ne supporte pas d'être commandé.
Il préfère mener sa barque lui-même. Travailler de façon indépendante lui convient bien, à condition qu'il écoute les conseils des spécialistes. Le Bélier apprécie également les professions qui accordent une certaine marge d'indépendance, telles qu'être représentant. Si cette profession s'exerce en plein air, c'est encore mieux!

TAUREAU

(21 avril - 20 mai)

CARACTERE

La caractère du Taureau comporte de nombreux traits identiques à celui de l'animal. Comme lui, il fonce droit sur son but.
S'il souhaite devenir avocat, le Taureau entreprendra des études de droit, peu importent les obstacles à franchir. Têtu et persévérant comme vous l'êtes, vous poursuivrez votre but, même si d'autres vous conseillent de viser moins haut.
Avouez-le, Taureau, vous avez une tête de bois.
Votre caractère est trempé.
Si l'on dit de vous que vous portez des vêtements ridicules ou que vous avez un accent étrange, vous ne vous en soucierez guère.
Ces remarques vous semblent superficielles. Y réagir troublerait votre quiétude et votre paix intérieures, deux valeurs qui vous tiennent à cœur.
Si vous êtes victime d'une injustice, à ce moment-là, vous voyez rouge! Le coupable a intérêt à prendre ses jambes à son cou au plus vite, car votre réaction peut être terrible et même violente!
Par contre, vous êtes également capable de pardonner assez vite à vos amis.
Quoique le chemin que vous traciez soit direct et que vous ne vous souciiez pas de choses inutiles à vos yeux, vous êtes cependant capable de profiter de la vie comme aucune autre personne.
Vous adorez les farces ainsi que tout ce que la vie comporte d'agréable: une discussion, un repas, un verre entre amis et... l'amour.

TAUREAU

PASSIONS

Pour vous, avoir du style est important. On le voit aux vêtements que vous portez. Le jeans que vous choisirez n'est pas n'importe quel jeans. Premièrement, vous ne l'achèterez pas dans une grande surface. Ce n'est pas assez "exclusif"! De plus, vous trouvez que les supermarchés sont trop fréquentés et que, de toute façon, personne n'y comprend rien à la mode.
Vous choisirez plutôt une boutique chic, où l'on prendra soin de vous en vous prodiguant une multitude de conseils. Là, vous y trouverez le jeans que vous souhaitiez tant, celui qui va si bien avec votre chemisier et vos bottines.
A vos yeux, les vêtements de loisirs doivent également avoir du style. En outre, vous aimez l'ordre et la netteté.
Votre amour du style se retrouve dans le choix de vos hobbies. Vous adorez l'art.
Il n'est donc pas étonnant que vous consacriez vos loisirs à fréquenter les musées, les galeries et les salles de concert. Lorsque vous le pouvez, vous vous adonnez à la peinture, à la sculpture ou à la musique.
Lorsque vous avez passé l'après-midi entier à faire de la musique ou à bricoler, vous aimez ensuite passer une soirée entre amis. S'il ne tenait qu'à vous, vous iriez au restaurant chaque semaine.

TAUREAU

AMOUR

L'amour est une valeur privilégiée chez le Taureau. La tendresse est un de vos soucis majeurs. Vous adorez enlacer quelqu'un dans vos bras et le garder serré contre vous pendant la journée entière! Etant donné que vous aimez autant l'amour, on vous séduit facilement. Vous-même êtes passé maître en matière de séduction.
La femme née sous le signe du Taureau ne recherche pas un acteur à la Tom Cruise.
De son côté, le Taureau masculin n'est pas en quête de la beauté suprême. Il est trop réaliste pour cela.
Le Taureau recherche plutôt quelqu'un avec qui il partage la vie et en jouit. Toutefois, il importe que ce partenaire ait également du style. Si l'ami d'un Taureau féminin ose un jour l'embrasser sans s'être préalablement rasé, il s'est immanquablement trompé d'adresse.
L'inverse est vrai: si l'amie d'un Taureau porte une tenue négligée pour sortir avec lui, son choix est simple: ou elle change de vêtements ou elle fait une croix sur cette sortie.
Lorsque le Taureau a trouvé son partenaire idéal, il fait tout pour que cette relation soit éternelle.
Par contre, un seul défaut vient assombrir cette image idyllique: la jalousie.
Le Taureau peut en devenir fou! Imaginez que votre ami ou amie sorte une seule fois avec quelqu'un d'autre!
Ceci marquerait le début de la Troisième Guerre mondiale!
Votre amour se transforme sou-

TAUREAU

dain en haine sombre. Cette sortie est exclue, un point c'est tout! Les Taureaux s'entendent surtout bien avec les Gémeaux et les Béliers.
Avec ces derniers, on sait ce qu'on a, où l'on va, tout est direct. Avec les Gémeaux, on s'amuse comme des fous. Les Verseaux vous attirent moins, ils dégagent une impression d'insécurité, ce que vous redoutez justement.
Les Scorpions et les Lions sont des signes que le Taureau fuit à tout prix.

★ BONHEUR

Lorsque vous êtes de sortie, vous ne résistez pas à la tentation de faire des achats. Les femmes nées sous le signe du Taureau fondent littéralement devant les bijoux. Lorsqu'elles ont repéré une jolie bague, elles tentent d'arrondir leurs fins de mois durant leurs loisirs et d'épargner leur argent jusqu'à ce qu'elles puissent acheter le bijou en question. Un Taureau n'est heureux que lorsque l'ordre et le calme règnent dans sa vie. Et lorsqu'il bénéficie d'une bonne santé. Ne vous emportez pas pour un rien, veillez à votre alimentation et faites quelques exercices physiques.

★ CARRIERE

Les Taureaux n'apprécient pas les métiers qui impliquent la réalisation d'expériences. Ils préfèrent les activités dont les résultats sont patents et pour lesquels les obligations et les responsabilités sont clairement définies. En tant qu'amoureux de la vie, le Taureau doit exercer une profession qui lui laisse suffisamment de loisirs pour s'adonner aux activités artistiques et créatrices.
N'hésitez pas à vous lancer dans les secteurs de la mode et de la publicité.
Quoique vous aimiez les objets de style, vous êtes quand même économe. Votre argent, vous le gérez à merveille. Il n'est donc pas surprenant de voir le nombre de conseillers financiers nés sous le signe du Taureau.

L'HOROSCOPE INDIVIDUEL

Les horoscopes insérés dans ce livre sont très généraux. Si vous le souhaitez, un astrologue peut établir votre horoscope personnel, qui sera nettement plus précis. Pour ce faire, l'astrologue a besoin d'une carte du ciel.
De prime abord, cette carte se révèle très étrange.

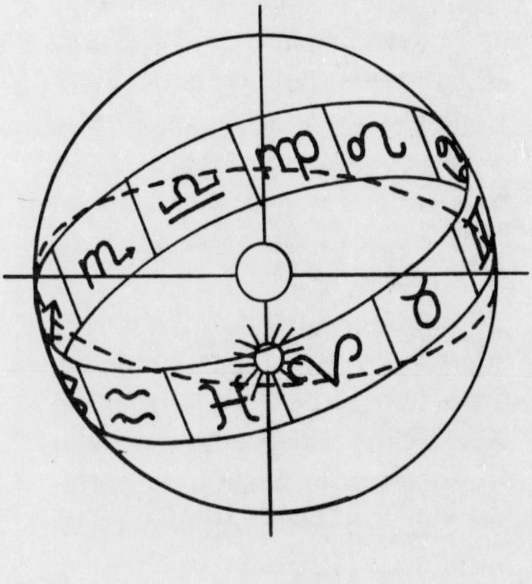

Au centre, on y trouve la terre, autour de laquelle gravitent des planètes telles que Mars, ou Vénus.
La trajectoire extrême est décrite par le soleil.
C'est sur cette trajectoire que sont dessinés tous les signes du zodiaque.
Sur la carte du ciel, c'est bien sûr l'inverse de la carte géographique, l'est se trouve à gauche et l'ouest à droite.

L'HOROSCOPE

Le terme "horoscope" signifie littéralement "observation du temps". L'heure et la date de naissance entrent donc en jeu. La date détermine le signe astrologique. Ainsi, si vous êtes né le 30 avril, le soleil se trouve dans le signe du Taureau,

qui, dès lors, devient votre signe astrologique.
L'heure de la naissance est tout aussi importante. Par cycle de 24 heures, chaque signe astrologique apparaît à l'horizon pour une durée de 2 heures. Sur la carte du ciel, l'horizon équivaut au côté gauche de la trajectoire extrême, à l'est donc.
Le signe qui apparaît à l'horizon à l'heure de votre naissance est appelé "ascendant".
On peut donc être de signe astrologique Taureau mais ascendant Sagittaire.
Ce sont ces deux signes qui déterminent la personnalité future de l'individu.
Celui qui a un signe astrologique et un ascendant identiques voit les caractéristiques de ce signe renforcées. L'ascendant détermine principalement l'activité créatrice de l'individu.
Si, lors de votre naissance, un signe est ascendant, il en est également un autre qui est descendant.
Ce dernier est alors situé à droite sur la carte du ciel, soit à l'ouest.
Ce signe, appelé "descendant", détermine vos relations avec votre famille et vos amis.

REDACTION

La rédaction d'un horoscope ne s'effectue pas à la légère. De nombreux éléments entrent en ligne de compte. Mieux vaut dès lors s'adresser à un astrologue de métier. A l'aide de tables, ce dernier définira la situation des planètes pour un moment donné. A l'heure actuelle, les astrologues ont recours à l'informatique.
Lorsque tous les calculs sont effectués, l'ordinateur dessine sur la carte les angles issus de la position réciproque des planètes au moment précis de ta naissance (heure, minute).
Une fois la carte dessinée, commence le travail le plus passionnant: l'interprétation de la carte, à partir de laquelle l'astrologue définit non seulement la personnalité de son vis-à-vis mais conseille également celui-ci quant aux problèmes à régler ou aux talents personnels à développer. L'important est de ne jamais oublier que la solution, c'est vous qui la possédez! C'est à vous qu'incombe dès lors la responsabilité de développer les éléments positifs de votre personnalité et d'éliminer les mauvais.

GEMEAUX

(21 mai - 21 juin)

CARACTERE

Le Gémeau est au courant de beaucoup de choses.
Non seulement dans son entourage, mais également dans le monde entier. Amateur de lecture, le Gémeau dévore du manuel scolaire au traité de philosophie. Pour autant que sa sagesse croisse!
Les Gémeaux ne sont jamais inactifs. Ils entreprennent mille choses à la fois. Tout les intéresse. Ils ont beaucoup d'amis, qu'ils aiment recevoir.
Avec eux, l'étonnement est toujours au rendez-vous, d'autant plus qu'ils sont assez distraits.
Pour un Gémeau, rire est aussi vital que boire et manger.
Un Gémeau rit de tout, même de sa propre personne. Méfiez-vous toutefois, Gémeaux, de votre versatilité.
Votre meilleur ami d'hier peut devenir aujourd'hui votre pire ennemi.
Votre comportement est aussi changeant qu'une girouette car vous trouvez toujours un point positif en chaque chose. Cette attitude est déconcertante pour les autres.
Un jour, vous expliquez jusque dans le moindre détail pourquoi vous souhaitez devenir coiffeur et le lendemain, vous faites part de votre passion pour la médecine.

PASSIONS

Votre soif d'apprendre vous pousse à vous intéresser à tout. Tout ce qui est nouveau vous intéresse. Vous êtes le premier à savoir qu'une nouvelle discothèque vient d'ouvrir ses por-

GEMEAUX

tes, vous en serez par ailleurs le premier visiteur.
Si cette première visite ne vous a pas plu, vous n'y retournerez jamais.
Vous ne connaissez pas l'ennui car chaque jour apporte de nouveaux défis à relever.
Vous êtes un fervent amateur de voyages.
Séjourner trois semaines dans le même hôtel, entouré des mêmes personnes, ne vous attire vraiment pas. Vous préférez passer d'un endroit à l'autre, à la recherche de l'aventure et de nouvelles connaissances.

Lorsque vous visitez un château, alors que les autres s'arrêtent pour admirer la décoration intérieure, vous demandez où se trouve le cellier. Vous voulez toujours quelque chose de plus original que les autres.
S'il est une chose qui vous fasse peur, c'est la vieillesse. Vous redoutez de devenir vieux.
C'est pour cette raison que vous restez en mouvement, que vous portez des vêtements qui, aux yeux des autres, sont trop voyants.
En fait, vous jouez un rôle en permanence.
Vous adorez vous créer un personnage qui, lorsqu'il ne vous plaît plus, est vite remplacé par un second.
Vous fréquenterez assidûment un groupe de jazz, que vous quitterez pour un groupe pop dès que vous en ressentirez l'envie.

AMOUR

Il en va de l'amour comme pour les autres choses de la vie: votre partenaire doit vous

GEMEAUX

faire "vibrer". La femme Gémeau sortira de préférence avec une star, du type Michael Jackson.
Ce qui l'attire est bien moins son aspect extérieur que sa carrière fulgurante.
Le Gémeau d'ailleurs parle très bien d'amour.
Mais si ce "Michael Jackson" laisse entrevoir un côté ennuyeux, il sera très vite remplacé par un autre partenaire.
Le gémeau est sans pitié; quand cela ne lui plaît plus, il change de partenaire.
Le Gémeau masculin est attiré par les filles qui, elles aussi, sont différentes des autres. Si l'élue de son cœur a un comportement puéril et sort avec d'autres garçons, le Gémeau jugera qu'elle fait preuve de caractère et appréciera.
Sa compagne sera celle qui n'hésitera pas à prendre la parole en classe, au grand dam du reste du groupe et qui osera entreprendre des choses spéciales.
Cependant, si elle ne sait plus que dire à son Gémeau, son sort sera vite réglé.
Le Gémeau s'envolera dare-dare vers d'autres cieux!
Les signes astraux qui s'accordent avec le Gémeau sont le Cancer et le Taureau, tous deux placés sous le signe de la sécurité, qui vient quelque peu apaiser votre vie chaotique. Par contre vous éviterez les Sagittaires, les Vierges et les Poissons, qui, à vos yeux, sont trop pointilleux et n'ont pas assez d'humour!

★ BONHEUR

Le rythme auquel vous exercez vos activités ébahit les autres. Vous vous pressez constamment. Vous courez après le bus (que vous ne ratez que rarement), vous courez pour rejoindre l'école ainsi que pour rentrer à la maison. Votre empressement est la cause de nombreux oublis. Il serait bon, pour votre santé, que vous ralentissiez votre rythme de vie de temps à autre. N'hésitez pas à vous allonger sur un banc à l'occasion!
Votre plus grand bonheur réside dans les voyages lointains, de

préférence accompagné de l'élu de votre cœur.

★ CARRIERE

Vous avez l'énergie d'un cheval. Si vous devez préparer un exposé de géographie, vous aurez déjà emprunté tous les ouvrages nécessaires à la bibliothèque alors que les autres n'en sont encore qu'aux préparatifs. Ceci ne signifie toutefois pas que vous serez le premier à avoir terminé.

Il se peut que vous abandonniez une semaine durant ce travail pour écrire une pièce de théâtre en vue de la prochaine fête scolaire. Comme vous êtes beau parleur, vous choisirez plutôt une profession qui exige des dons de négociateur. Vous êtes un vendeur parfait, à tel point que votre patron doit veiller à ce que vous ne vendiez pas le mobilier de bureau. Vous êtes également un acheteur de talent: vous êtes passé maître dans l'art du marchandage! Votre métier doit être diversifié afin que vous vous y accrochiez.

Les Gémeaux ont très peu le sens de l'argent. L'argent est un moyen et non un but en soi. Un effort dans la gestion de votre budget ne vous ferait toutefois pas de tort.

CANCER

(22 juin - 22 juillet)

CARACTERE

Afin de mieux vous connaître, Cancer, n'hésitez pas à aller voir un documentaire sur l'animal auquel vous êtes associé: le crabe!
Vous remarquerez ainsi sa démarche particulière: il avance non en ligne droite, mais de travers! C'est également votre cas.
Vous n'êtes pas du genre à foncer droit vers le but.
C'est à vos yeux beaucoup trop dangereux... Si vous souhaitez visiter les coulisses d'un théâtre, vous ne passerez pas par le régisseur. Vous vous informerez préalablement auprès d'un des éclairagistes pour savoir si cette demande est fréquente. Ce n'est que lorsque vous serez à 100 % sûr que votre question est sensée que vous oserez la poser.
La sécurité est votre atout maître. Si vous entreprenez une excursion en train, vous avez déjà votre ticket de retour en poche. Votre prudence a de qui tenir. Observez le crabe: lorsqu'il se sent menacé, il rentre sous sa carapace.
Vous l'avez déjà compris: les Cancers sont des êtres fragiles et changeants. Leur humeur change comme les phases lunaires.
Les Cancers sont généralement des gens peu bavards.
Ils sont également endurants et possèdent une force intérieure impressionnante.

PASSIONS

Le Cancer est un solitaire.
Ceci ne l'empêche toutefois

CANCER

pas, et c'est étonnant, d'être un comédien talentueux.

Mieux que quiconque, le Cancer parvient à s'imprégner des sentiments qu'éprouvent les autres.

Pour ses vacances, le Cancer n'est pas exigeant: du repos et de la détente suffisent. Le Cancer choisira de préférence un hôtel paisible et familial.

Sous sa carapace, le Cancer cache une mémoire étonnante.

Si votre grand-père vous raconte la Seconde Guerre mondiale, vous pourrez certainement lui restituer son récit mot par mot cinq ans plus tard.

Entre temps, vous vous serez documenté car tout ce qui concerne le passé vous intéresse.

Il n'est d'ailleurs pas du tout surprenant que l'histoire soit votre cours préféré.

★ AMOUR

Dans vos rêves, l'amour est si facile, n'est-ce pas, Cancer?

Vous séduisez cette jolie fille blonde de seconde année ou ce

sympathique garçon rencontré à la bibliothèque. Bercés par une musique de fond, vous l'imaginez en train de déclarer sa flamme! Par contre, dans la réalité...

S'il n'y a pas meilleur rêveur que vous, dans la réalité, l'amour est bien plus compliqué. Avant que vous n'osiez déclarer votre amour, vous attendez patiemment d'être sûr que l'être choisi est bien celui de vos rêves.

Du côté masculin, le Cancer garde une image idéale devant

les yeux. Une fille robuste ne l'intéresse guère.
Ce qu'il recherche, c'est quelqu'un qui le chérira des journées durant.
En fait, ce qu'il souhaite, c'est qu'elle lui apporte un pull douillet lorsqu'il fait froid dehors.
Elle doit le prendre dans ses bras lorsqu'il aura raté son examen de mathématiques et déplacer son vélomoteur lorsque le voisin crie au scandale parce que la machine se trouve sur son trottoir.
Tout comme lui, elle doit aimer son foyer douillet.
Lorsqu'ils sont ensemble, le Cancer et sa partenaire éteignent les lampes et s'éclairent aux chandelles...
Du côté féminin, le Cancer adore materner. Son ami, elle le soigne! Lorsqu'il rentre du travail, elle lui sert sa boisson préférée dans le salon, qu'elle a décoré avec un somptueux bouquet de fleurs.
Pour elle, il est très important que son partenaire ne se sente pas plus à l'aise auprès d'une autre qu'auprès d'elle.
Le Cancer s'entend à merveille avec le Gémeau. Le premier étant plutôt prudent, il s'amuse

CANCER

des frasques du second, de ses idées saugrenues et de son humour.
Le Lion est aussi un partenaire de choix. Par contre, le Bélier, être pour le moins fonceur et souvent d'un avis contraire à celui des autres, est moins recommandé.
Il en va de même pour les Capricornes et les Balances.

BONHEUR

Le Cancer se replie trop volontiers sous sa carapace: sa maison! Il cherche le bonheur et le confort au coin du feu. Le Cancer n'est absolument pas intéressé par trois sorties en discothèque sur une même semaine. Il préfère recevoir ses amis à la maison.
Ceux-ci doivent être de vrais amis, car les vagues connaissances n'ont pas accès à son foyer. Cela peut sembler bizarre, mais pour un Cancer, faire la grasse matinée représente un réel bonheur.
Pourquoi pas, puisqu'un bon sommeil est un gage de bonne santé. Etant donné que le Cancer sait à quel point certaines blessures sont douloureuses, il n'insultera jamais quelqu'un sans raison valable.
Par contre, si ce quelqu'un lui fait un reproche, il a intérêt à déguerpir au plus vite!
La rancune du Cancer est réputée tenace.

CARRIERE

Gagner une montagne d'argent ne vous intéresse pas vraiment. A vos yeux, il est plus important d'éprouver du plaisir dans son travail.
Vous détestez les fonctions éreintantes et vous redoutez les reproches quant à la qualité de votre travail.
Il est vrai que vous tolérez mal la critique.
En fait, vous préférez travailler seul. Vous vous réjouissez d'un bureau où vous serez seul.
Le travail ne vous fait pas peur, vous ne rechignez pas à effectuer des heures supplémentaires. Toutefois, vous avez besoin d'encouragements.

LES SIGNES ASTRAUX ET LEUR PLANETE

SIGNES ASTRAUX

Un ciel dégagé laisse apparaître une multitude d'étoiles. Afin de pouvoir plus aisément repérer celles-ci, nos ancêtres ont tiré des traits imaginaires entre diverses étoiles.
C'est ainsi que sont nés les signes astraux. On en dénombre plus de 80.
Comme vous le savez, la Terre met un an pour accomplir un tour autour du Soleil. Vu de la Terre, le soleil change de signe astral en fonction de la période de l'année.
Etant donné que la Terre tourne autour du Soleil sur une trajectoire fixe, chaque année, le Soleil revient dans le même signe astral. Il en traverse ainsi douze par an.
Ces signes astraux sont très importants pour l'astrologie. Ils représentent les douze signes du zodiaque. C'est donc le Soleil qui détermine le signe astrologique sous lequel vous êtes né.
Par exemple, toute personne qui est née entre le 22 juin et le 23 juillet est du signe du Cancer car, pendant cette période, le Soleil traverse en effet le signe du Cancer.

PLANETES

A l'instar des signes astraux, la Lune et les planètes suivent également une trajectoire qui est immuable.
C'est pourquoi elles influencent à leur tour les signes astraux.
C'est ainsi que Jupiter est la planète de la loyauté, alors que Neptune a une influence sur votre fantaisie. Il est donc intéressant de savoir quelle planète influence votre signe.

La Lune: La Lune suscite le changement, les caprices et la créativité. Elle détermine le signe du Cancer mais, étant donné qu'elle est proche de la Terre, les astrologues estiment qu'elle influence également les autres signes.

Mercure: Cette planète symbolise la sobriété. L'être qui subit l'influence de cette planète est d'un naturel attentif. Veillez toutefois à ne pas être trop critique envers les autres, au risque de vous les mettre à dos. Mercure détermine les signes de la Vierge et du Gémeau.

Vénus: Vénus symbolise l'amour et le sens artistique. Si vous êtes placé sous le signe de cette planète, votre souci sera de rendre les autres heureux.
Mais comme l'amour réclame l'amour, vous avez également besoin d'être aimé. Vénus détermine les signes du Taureau et de la Balance.

Mars: Mars symbolise le courage et la liberté. Les êtres influencés par cette planète sont des gagneurs. Mars détermine les signes du Bélier et du Taureau.

Jupiter: Jupiter symbolise la justice. Si Jupiter influence votre horoscope, vous aspirez à un monde meilleur. Les métiers qui vous attirent sont: prêtre, avocat et médecin. Jupiter détermine le Capricorne et le Poisson.

Saturne: Saturne symbolise l'expérience et la tradition. Si vous êtes placé sous son influence, vous êtes d'un naturel sérieux et concentré. Saturne détermine les signes du Capricorne et du Verseau.

Uranus: Uranus vous pousse à agir par intuition plutôt que par expérience. Vous êtes donc d'un naturel spontané et original. Si vous êtes né sous le signe du Verseau, Uranus vous influence à coup sûr.

Neptune: Neptune est synonyme de magie, fantaisie et créativité. Sous l'influence de Neptune, vous vous effacez pour le bien-être des autres. Cette caractéristique se retrouve aussi chez le Poisson, luimême influencé par Neptune.

Pluton: Pluton symbolise le pouvoir, le besoin de se détacher de la masse. L'être influencé par Pluton est également empreint de justice. Le Scorpion subit l'influence conjointe de Mars et Pluton.

LION

(23 juillet - 22 août)

CARACTERE

Le Lion est un animal puissant qui fait remarquer clairement sa présence.
Lorsqu'il n'obtient pas ce qu'il veut, il rugit pour attirer l'attention. Les autres animaux restent dans l'ombre du "Roi des animaux".
Les êtres humains n'aiment pas être comparés aux animaux, êtres primitifs auxquels nous sommes supérieurs.
Pourtant, la comparaison entre le lion d'Afrique et votre signe astrologique s'impose tant les ressemblances sont frappantes: le Lion est fier, majestueux et se trouve important. A d'autres moments, il aime faire des choses agréables, il n'hésite pas à prendre le soleil en s'étendant de tout son long.
Le Lion n'aime pas du tout la solitude. Il est constamment à la recherche d'amis et de nouvelles connaissances.
Il participe à toutes les soirées organisées par l'école ou aux anniversaires.
Le Lion préfère parler qu'écouter, il a toujours son mot à dire sur n'importe quoi... c'est un meneur né et un parfait organisateur.
Le Lion est fidèle et dévoué. Il est toujours prêt à aider. Ses amis le défendent bec et ongles. Il est bon et généreux. L'honnêteté est une des valeurs qu'il chérit le plus.
Il défend également les gens qu'il aime avec acharnement.

PASSIONS

Si le Lion ne peut pas être qualifié de paresseux, ce n'est pas

LION

non plus ce qu'on peut appeler un grand travailleur.
La vaisselle, la lessive et les tâches ménagères, ce n'est pas pour lui.
Il préfère de loin que d'autres s'en chargent.
Le Lion n'a pas non plus la patience de bricoler.
Par contre, il accorde beaucoup d'attention à son corps et à son aspect extérieur.
Il adore les beaux vêtements. Les samedis après-midi sont consacrés au shopping.
Dans les boutiques de mode, le Lion ne se soucie pas du prix. Ou plutôt, il le consulte car il recherche les vêtements coûteux que proposent les marques connues.
De plus, la griffe doit être bien visible! Le chic avant tout...
Avant d'aller à une fête, le Lion passe des heures devant le miroir. Il fait tout pour être joli et chic.
Le Lion adore les vacances. Il optera de préférence pour une croisière de luxe ou un hôtel chic plutôt qu'un camping banal. Une randonnée de quelques jours avec un sac sur le dos, ce ne sont pas des vacances!

LION

AMOUR

Le Lion peut tomber fou d'amour. D'une seconde à l'autre. Son nouvel amour, il le comblera de cadeaux ou de fleurs et fera tout pour le satisfaire. L'amour que vous portez à votre partenaire se remarque!
D'autre part, vous adorez également vous sentir aimé.
Vous détestez les cachotteries. C'est pourquoi vous refuserez catégoriquement que vote ami ou amie flirte avec un autre en présence d'autres copains.
Mais pourquoi agirait-il ainsi? Il n'y a pas de meilleur partenaire qu'un Lion!
Le Lion s'entend à merveille avec quelques signes comme une Vierge, un Cancer, un Bélier ou un Gémeau.
La Vierge a un caractère vraiment très différent de celui du Lion, mais tous deux se complètent bien, comme les pièces d'un puzzle.
Par contre, les relations avec un Taureau ou un Verseau se passent moins bien et risquent d'être houleuses. Le Taureau est, tout comme le Lion, fier.
Le Verseau, lui, s'intéresse à

tout autre chose que le Lion. Dans une relation avec un Taureau ou un Verseau, il leur incombe de mettre de l'eau dans leur vin, au risque de voir se déclencher rapidement des disputes qui peuvent être violentes.

BONHEUR

Le Lion aime la vie, pour autant que tout se passe en souplesse. Se créer des soucis à propos de l'école? A quoi bon, puisque vous estimez que ce n'est pas là que s'apprend la vraie vie.
En fait, vous entrez en action dès le soir venu. Dès qu'une occasion de sortie se présente, vous n'hésitez pas.
Vous ne fréquentez pas les super-discothèques car vous préférez les clubs modernes aux couleurs pastel, où se côtoient les gens bien habillés.
Lorsqu'un concert de Prince ou Madonna est annoncé, vous êtes parmi les premiers à vous presser au guichet. Sortir, c'est chouette, Lion, mais prenez-y garde. Vous vous sentez si vigoureux que vous ne voyez pas la maladie approcher. Or, même les Lions sont fragiles lorsqu'ils sortent trop et vont se coucher tard.

CARRIERE

Le Lion n'est pas avare. Ni pour lui, ni pour les autres.
Il aime faire plaisir en offrant des cadeaux volumineux et parfois très chers.
Mais la médaille a aussi son revers. En dépensant sans compter, vous risquez de vous retrouver sans un sou. A vos yeux, ouvrir un livret d'épargne n'a pas de sens!
Le Lion est cependant un parfait organisateur.
Ce n'est pas pour rien que de nombreux Lions occupent une fonction de dirigeant.
Comme ils adorent être vus et écoutés, bref être le centre d'intérêt, le rêve de nombreux Lions est de décrocher un emploi à la radio ou, pourquoi pas, à la télévision.

VIERGE

(23 août - 22 septembre)

CARACTERE

Aucun détail n'échappe aux Vierges. Si elles ont un examen, elles savent avec exactitude la note qu'elles peuvent obtenir. Elles ont mémorisé la matière à étudier; on peut être sûr de ne retrouver aucun papier permettant de copier dans les alentours.
Elles entreprennent leur travail avec conscience et quoiqu'elles craignent toujours d'avoir raté le test, elles étonnent leurs amis ou amies par les notes élevées qu'elles obtiennent.
La Vierge n'a pas la tête dans les nuages. Au contraire, elle a les deux pieds bien sur terre. Sobre, réaliste et consciente de ses possibilités, telles sont ses caractéristiques.
Si une Vierge n'a pas l'autorisation de sortir en discothèque, elle accepte ce refus. Elle sait en effet qu'il est inutile de contredire ses parents. Toutefois, elle demande la raison de cette interdiction.
Vous avez un esprit critique, Vierge. Vous êtes ainsi capable de déceler la faille dans le discours des autres.
Par contre, lorsque vous êtes l'objet de critiques, vous ne le tolérez pas facilement. Peut-être cette attitude trouve-t-elle son origine dans un petit complexe d'infériorité.

PASSIONS

Tout ce qu'une Vierge fait est réglé comme une horloge.
Vous adorez en effet mettre les points sur les i.
Lorsqu'on vous demande de régler les vitesses d'un vélo,

vous essayez jusqu'à ce que vous soyez vraiment sûr que le résultat soit parfait; et lorsque vous vous penchez sur une grille de mots croisés qui est à moitié complétée, vous la terminez en un clin d'œil.
Les sports dangereux ne vous conviennent pas, Vierge. Vous les trouvez trop stupides et vous avez peur de ne pas être à la hauteur.
Il en va de même des sports d'équipe car, comment réagir si un de vos condisciples s'avérait meilleur?
Non, les seuls sports qui vous permettent d'utiliser votre tête sans prendre de risques sont: les échecs, le jeu de dames ou tout autre sport cérébral.

AMOUR

La vie amoureuse d'une Vierge est loin d'être houleuse. Vous êtes bien trop sobre pour cela. Par contre, vous recherchez la discrétion et la fidélité, qui font partie de votre personnalité. Votre fidélité est si forte que vous iriez jusqu'à vous sacrifier pour l'autre.
Vous n'aimez pas la superficialité. "Flirter" est un mot qui vous déplaît.
Vous ne tenterez de séduire quelqu'un que lorsque vous le connaîtrez très bien. Ce n'est qu'alors que vous lui déclarerez votre amour.
Du côté féminin, la Vierge aime se sentir en sécurité et recevoir des cadeaux, quoiqu'elle le

VIERGE

nie. “Tu n’aurais pas dû, ces cadeaux sont beaucoup trop chers”, dira-t-elle.

Du côté masculin, les Vierges sont attirés par des filles peu timides.

Pour les aborder, vous devez toutefois vaincre votre timidité naturelle.

Vous trouverez votre bonheur de préférence auprès d’une Balance.

Ensemble, vous parlerez de choses importantes.

Votre amie, du signe de la Balance, porte des tenues élégantes, ce que vous appréciez particulièrement.

Toutefois, sa recherche constante de la perfection vous intimide car vous vous demandez si vous êtes toujours le principal sujet de ses pensées.

Les Vierges s’entendent à merveille avec les Lions, qu’elles admirent à condition qu’ils ne restent pas perchés constamment sur leur trône.

Par contre, les signes les moins réceptifs aux Vierges sont le Poisson, le Sagittaire et le Gémeau.

★ BONHEUR

Vous n’êtes pas du genre à rechercher le bonheur dans les sorties. Par contre, quand vous sortez, vous en profitez largement. Généralement, vous restez à la maison avec votre famille. Vous vous y sentez à l’aise et ne craignez pas les soucis. Il est vrai que vous avez un avantage: vous voyez

arriver les problèmes. C'est pourquoi vous êtes suffisamment assuré contre tous les dangers.
La santé est quelque chose de primordial aux yeux de toute Vierge.
Vous êtes d'ailleurs calé en la matière. Vous vous intéressez aux sciences, et vous lisez beaucoup d'articles de médecine. Vous êtes expert en jus de fruits et en tisanes.
Veillez toutefois à ne pas transformer le bobo le plus bénin en maladie incurable!

★ CARRIERE

Le travail n'est pas un mal nécessaire.
Travailler est important et représente une partie de votre vie. Votre conscience professionnelle est à souligner.
Vous gérez votre argent correctement, Vierge. Lorsque vous faites les courses, vous n'entrez pas dans le premier magasin venu. Non, vous observez et comparez. Si vous devez acheter un stylo, vous en choisirez un joli, assez classique et qui, si possible, durera toute votre vie. Vous aimez les articles de qualité. "Le bon marché coûte cher", telle est votre devise.
Vous veillez non seulement à votre argent mais aussi à celui de votre entreprise. De nombreuses Vierges occupent des postes de comptabilité. Votre précision et votre esprit critique vous y aident bien.
Vous contrôlez la circulation de l'argent et décelez rapidement le secteur où des économies s'imposent.
Ce sérieux ne vous vaut d'ailleurs pas que des félicitations car les collègues qui sont peu économes sont rapidement repérés par votre faute.
Vous êtes de bons organisateurs. Vous aimez d'ailleurs l'organisation car elle vous rassure. Vous vous sentez bien quand chaque chose est rangée à sa place.
Vous donnez facilement un coup de mains et n'êtes pas avare de petites attentions. Rien d'étonnant dès lors à ce que vous soyez réellement aimé de vos amis.

PLANETES, DIEUX ET ARCHETYPES

Les hommes ont toujours été fascinés par les planètes, astres qui se meuvent indépendamment des étoiles fixes et qui, dès lors, furent considérées comme dieux ou propriété des dieux.
Les anciens astrologues pensaient que les planètes étaient non seulement liées aux dieux, mais qu'elles influençaient aussi les événements terrestres.
L'apparence extérieure de la planète correspondait au caractère du dieu.
Il n'est donc pas étonnant que Mars, la planète rouge, fut décrétée dieu de la guerre par les Anciens Grecs.
Chaque dieu avait ainsi son caractère, chacun étant un stéréotype des êtres humains. Ces caractères typiques sont appelés "archétypes".
Dans la mythologie grecque, les planètes déesses interviennent dans les mythes et les légendes.
Les dieux se bagarrent entre eux, font la fête et l'amour, comme les hommes.
Un des plus beaux mythes est celui de Vénus...

La déesse Vénus est née de l'océan. Sa vive intelligence avait été remarquée par Vulcain, le dieu-forgeron.
Il l'épousa. Cependant, Vénus garda un amant: Mars, le dieu de la guerre, avec qui elle eut trois enfants. Lorsque Vulcain fut au courant de la situation, il devint fou furieux. Il imagina une ruse. Il forgea un très fin filet en bronze, qu'il fixa au lit nuptial. Ensuite, il dit à Vénus qu'il devait partir pour quelque temps. Cependant, après une heure, il était déjà revenu et trouva Vénus et Mars pris au piège.
Vulcain invita alors d'autres dieux à témoigner de l'infidélité de sa femme. Arrivé près du couple emprisonné, Apollon, le dieu-soleil déclara: "Selon moi, tu aimerais bien être à la place de Mars, à côté de Vénus, filet ou pas filet." Mercure répondit que même trois filets ne poseraient pas de problème.
Neptune, le dieu de la mer, proposa que Mars paie à Vulcain le montant de la dot que ce dernier avait versée pour Vénus. S'il refusait de le faire, Neptune reprendrait à Vulcain et la dot et Vénus. Ceci ne se produisit toutefois pas: Vulcain demeura l'époux de Vénus.
Cet épisode ne rendit pas Vénus plus fidèle, car elle continua à avoir des amants. Ceci provoqua beaucoup de problèmes car les amants de Vénus, rendus fous d'amour, en oubliaient tous leurs devoirs.
Jusqu'au jour où elle fut répudiée.
Il apparut alors que Vénus ne suscitait pas uniquement l'amour mais aussi la vengeance...
Les mythes comme celui-ci mettaient les êtres humains en garde.
Dans le cas de Vénus, on dénonce la passion exagérée et tout ce qui en découle: la rivalité et la jalousie. Les mythes apportaient une expérience aux hommes.
La différence entre le bien et le mal devait être évidente. C'est ainsi que les dieux grecs apprenaient aux hommes à réfléchir, à comprendre et à juger. Il ne faut évidemment pas oublier que ce sont les hommes qui ont créé les dieux.
Il ne faut pas considérer ces histoires comme des évènements qui se sont réellement passés. Ce ne sont que des mythes... Cependant, ils peuvent être très instructifs.

BALANCE

(23 septembre - 22 octobre)

★ CARACTERE

Votre signe astrologique est symbolisé par une balance. Pas une balance digitale moderne, mais plutôt un modèle à plateaux.

Vous vous demandez pourquoi votre caractère est associé à un tel objet ancien.

En fait, vous êtes constamment à la recherche de l'équilibre. Lorsque, à l'école, deux groupes se disputent, vous intervenez pour aplanir la situation. De plus, comme vous êtes beau parleur, vous n'avez pas votre pareil pour convaincre les autres de leur erreur et de leur faire signer la paix.

Vous êtes également à la recherche de votre propre équilibre.

Lorsque vous avez terminé une peinture, vous êtes certes fier de votre travail, mais une petite voix intérieure vous dit: "Cette peinture est réussie, en effet, mais il ne faut pas être aussi fier, le résultat n'est pas extraordinaire non plus!"

Vous êtes un optimiste et vous aimez la vie. Vous aimez la compagnie de vos amis, qui apprécient votre intelligence et votre sensibilité.

Quoique vous soyez la plupart du temps très sûr de vous, certains doutes vous habitent aussi parfois.

★ PASSIONS

En tant que Balance, vous estimez qu'un des plateaux est déjà chargé d'assez de misère. C'est pourquoi vous visez à emplir l'autre de choses plus jolies et importantes. Il n'est

donc pas surprenant de savoir que vous aimez l'art! La musique vous plaît particulièrement et lorsque vous le pouvez, vous jouez même d'un instrument. Ici aussi, vous faites preuve de précision, car vous tenez à atteindre la perfection.
Vous accordez une importance énorme à votre apparence. Vous consacrez une grande attention à vos vêtements. Si ceux-ci ne sont pas toujours soignés, ils ont par contre toujours une pointe d'originalité. vous décousez ainsi les boutons de votre nouveau chemisier pour les remplacer par d'autres réalisés par vos soins. Quant à votre pantalon, vous l'avez acheté dans une boutique spécialisée. Votre coiffure est aussi spéciale. Vous l'aimez à la fois sophistiquée et originale.
Une pointe de couleur, une tresse, un peu de gel ou le bandeau que votre tante a rapporté de ses vacances au Maroc vous séduisent. Une fois habillé, vous filez devant le miroir. Non pas pour vous admirer mais pour voir l'effet que vous allez produire sur les autres.

★ AMOUR

Vous avez horreur d'être seul. C'est pourquoi vous êtes constamment à la recherche d'un ami ou d'une amie. Un seul ne suffit pas!
Il ou elle doit posséder ce que vous ne possédez pas. Si vous n'êtes pas sportif, il ou elle doit l'être.
Bref, vous cherchez constamment un équilibre.
Il faut évidemment que vous ayez des points communs.
Qu'y a-t-il en effet de plus

BALANCE

amusant que d'écouter votre musique favorite et de parler des choses que tous deux trouvez importantes!

Votre ami ou amie n'a pas toujours la vie facile avec vous, Balance!

Vous aimez tellement entendre qu'il ou elle vous dise que vous êtes FANTASTIQUE.

De plus, vous souhaitez vivement être cajolé. Le café au lit, un bouquet de roses à l'improviste, un autocollant pour la mobylette...

Lorsqu'il s'avère que votre partenaire est fou de vous, c'est vous qui le comblerez de cadeaux et de tasses de café.

Avant de trouver le partenaire idéal, vous avez jugé et comparé pas mal de personnes, que vous avez finalement laissé tomber car vous avez remarqué qu'elles ne vous convenaient pas.

Les Gémeaux et les Verseaux sont vos partenaires idéaux.

Vous vous régalez de leur excentricité. Avec ces signes, vous ne vous ennuyez pas une seconde. Pour vous, ils repré-

sentent vraiment l'aventure...
Les Béliers et les Capricornes vous plaisent moins. Vous les trouvez trop hardis, trop fonceurs et pas assez charmants et délicats.

BONHEUR

Si vous étiez amené à fréquenter l'école durant votre vie entière et à faire des devoirs tous les soirs, vous ne survivriez pas!
Pour pouvoir être heureux, vous souhaitez faire les choses qui vous semblent importantes. Une de ces choses est la justice. Vous ne supportez pas les guerres insensées, elles détruisent votre moral.
Lorsque vous le pouvez, vous passez même à l'action.
Pour être heureux, il faut que les gens autour de vous le soient aussi. Le bonheur n'est donc pas quelque chose d'égoïste pour vous.
La Balance se sent bien lorsqu'un équilibre règne sur sa vie. Veillez donc à éviter tout dérèglement.

CARRIERE

En général, les Balances gèrent intelligemment leur argent. S'il le faut, elles parviennent à vivre chichement. Mais n'oubliez pas qu'il faut quand même manger pour vivre, Balance!
Comme vous êtes doué pour aplanir les différends, vous êtes parfaitement taillé pour les fonctions où intervient le sens de la négociation. On trouve en général beaucoup de Balances dans le monde de la diplomatie. A cela s'ajoute que vous êtes un bon représentant et un excellent parleur.
Votre sens artistique peut également vous servir. Si vous avez assez de talent, vous trouverez un emploi dans les domaines de la musique, l'art représentatif ou l'architecture. Si vous ne souhaitez pas viser aussi haut, votre créativité s'exprimera tout aussi bien dans votre travail. Vous êtes en général apprécié de vos collègues, à cause de votre humeur “rayonnante”.
Vous êtes capable, comme aucun autre, de gagner les gens à votre cause.

SCORPION

(23 octobre - 21 novembre)

★ CARACTERES

De vous, Scorpion, on dit que vous êtes le signe astrologique le plus compliqué.
Vous êtes tellement compliqué qu'un seul symbole ne vous suffit pas.
Vous en réunissez trois: le scorpion, l'aigle et le phénix. Le scorpion est le plus piquant des trois. Il symbolise l'agressivité et l'instinct. L'aigle est réputé pour sa vue exceptionnelle: il a une vision du monde à laquelle les autres n'osent pas songer. Le phénix était, selon les Egyptiens, un oiseau qui fut à plusieurs reprises conduit au bûcher et qui, à chaque fois, renaquit de ses cendres.
La fusion de ces trois symboles fait de vous un être que les autres cernent difficilement. Ils vous trouvent chaotique, mais vous les fascinez car vous véhiculez un sentiment de mystère.
Le scorpion qui est en vous vous pousse sur le sentier de la guerre.
Ce combat, vous le menez non avec des armes mais avec votre langue! Vos paroles contiennent parfois un venin qui peut être plus dangereux que celui du scorpion lui-même. Votre adversaire doit se méfier, vous pouvez être dangereux!
Vous aimez adopter un point de vue extrême et prendre parti. Vous ne laissez jamais passer l'occasion d'une discussion, ce qui laisse croire à certains que votre confiance en vous est inébranlable.
Ils ignorent qu'en fait, vous êtes très sensible et que vous tentez par tous les moyens d'éviter que les autres découvrent vos faiblesses.

SCORPION

PASSIONS

Chaque journée est remplie d'un tas de choses qui vous semblent peu intéressantes et n'avoir aucun sens.
C'est pourquoi vous ne consacrerez votre temps libre qu'à faire des choses qui, pour vous, sont importantes.
Votre liberté personnelle vous semble par-dessus tout importante. Vous aimez lire un bon livre et vous pouvez rester des heures assis, occupé à réfléchir. Mais votre plus grand désir serait d'écrire vous-même un bon bouquin! De nombreux écrivains sont du signe de scorpion. Vous aimez courir des dangers. Sauter en parachute ne vous fait pas peur!
Vous êtes également attiré par la nature et par les histoires de fantômes! Vous vous intéressez à beaucoup de choses différentes!

AMOUR

S'il est un caractère passionné, c'est bien vous.
Vous êtes un séducteur de premier ordre.
Amis du Scorpion, méfiez-vous de ce mélange tonitruant!
Votre mystérieux pouvoir d'attraction séduira le garçon ou la fille de vos rêves.
Mais votre passion sera tellement ardente et votre amour si brûlant que votre partenaire risque de s'y brûler.
Si votre partenaire souhaite plus de calme, il risque de vous

déplaire. Etant donné qu'il ne peut constamment maintenir le rythme que vous lui imposez, vous risquez plusieurs déconvenues. Toutefois, dès que vous aurez trouvé le compagnon de votre vie, votre amour sera éternel.

Votre amour, vous le considérerez comme quelque chose de sacré, si bien que vous ferez tout pour qu'il dure.

Si vos amis croient que votre couple est en danger lorsqu'ils verront les coussins, les couverts ou les CD voler à travers la pièce, ils se trompent.

Derrière ce vacarme se cache un amour sincère dont les autres risquent d'ailleurs d'être jaloux!

Votre signe s'accorde bien avec celui du Poisson.

Avec ce signe, votre relation amoureuse risque d'être vraiment très captivante. N'oubliez toutefois pas que les Poissons sont bien plus fragiles que vous. Ils rechercheront la sécurité à vos côtés, si bien que vous serez là pour les épauler lorsqu'ils nageront en eaux troubles.

Les autres signes qui vous

SCORPION

conviennent sont le Cancer et la Vierge. Evitez par contre le Taureau, le Verseau et le Lion. Ces signes ne vous conviennent pas.

BONHEUR

Vous ne vous sentez heureux que lorsque vous avez l'impression de faire quelque chose d'important. Si on projette de construire une nouvelle école dont l'emplacement vous déplaît, vous le faites savoir. Lorsque les bulldozers arriveront, vous vous placerez devant eux.

Avec vous, c'est tout ou rien, et comme vous souhaitez toujours atteindre votre but, vous n'hésiterez pas à prendre les plus grands risques.

Le danger que vous courez est que vous croyez que vos forces sont inépuisables.

Si vous tombez malade, vous risquez de voir votre monde s'écrouler, mais généralement, vous reprendrez vite le dessus.

Vous êtes toujours au cœur de l'action et même si vous déclarez à vos amis que, la semaine prochaine, vous allez vous reposer, il n'en est rien. Car en fait, vous détestez cela!

CARRIERE

Votre ambition n'est pas de gagner beaucoup d'argent. Vous aimez les responsabilités et le sentiment que le travail que vous effectuez est utile. Vos relations avec votre patron sont assez tendues car vous supportez mal de vous faire commander. Par contre, vous n'êtes pas non plus un véritable meneur. En fait vous préférez tout faire seul. Vous avez besoin de défis. Les tâches qui, pour les autres, représentent un calvaire vous plaisent.

Si on vous demande de déposer un boulon qui se retrouve à l'extrémité d'une conduite enfouie dans le sol, vous y parvenez coûte que coûte.

Comme vous êtes extrêmement courageux, vous êtes attiré par les métiers qui exigent une certaine témérité, tels qu'être policier ou travailler à l'étranger.

CELEBRITES ET LEUR SIGNE ASTROLOGIQUE

Béliers célèbres
Eric Clapton (pop star)
Charlie Chapin (acteur)
Vincent van Gogh (peintre)
Steve Mc Queen (acteur)
Marlon Brando (acteur)

Taureaux célèbres
Sigmund Freud (philosophe)
Ella Fitzgerald (chanteuse de jazz)
Mike Oldfield (compositeur)
Le pape Jean-Paul II
Joe Cocker (chanteur)

Gémeaux célèbres
Marilyn Monroe (actrice)
J. F. Kennedy (Président des USA)
Sandrine Bonnaire (actrice)
Prince (chanteur)
Clint Eastwood (acteur)
Paul Mc Cartney (chanteur)
Guy Bedos (café-théâtre)

Cancers célèbres
Isabelle Adjani (actrice)
Ingmar Bergman (réalisateur)
Gina Lollobrigida (actrice)
Léa Massari (actrice)
Anny Dupérey (actrice)

Claudio Abbado (chef d'orchestre)
Oriana Fallaci (écrivain)
Donald Sutherland (acteur)
Henri VIII (Roi d'Angleterre)

Lions célèbres
Napoléon Bonaparte (empereur français)
Mick Jagger (pop star)
Alfred Hitchcock (réalisateur)
Yves Duteil (chanteur)
Dustin Hoffman (acteur)
Robert de Niro (acteur)
Neil Amstrong (astronaute)
Pierre Richard (acteur)

Vierges célèbres
Leonard Bernstein (compositeur)
Sean Connery (acteur)
Ingrid Bergman (actrice)
Richard Gere (acteur)

Le roi Baudouin (roi des Belges)
Peter Sellers (acteur)
Sabine Azéma (actrice)

Balances célèbres
Mahatma Gandhi (leader nationaliste indien)
Lech Waleza (président polonais)
Philippe Noiret (acteur)
Vàclav Havel (écrivain, ex-président de la Tchécoslovaquie)
John Lennon (pop star)
Roger Hanin (acteur)
Martina Navratilova (tennis)

Scorpions célèbres
Pablo Picasso (peintre)
Marie Curie (scientifique, Prix Nobel)
Albert Camus (écrivain)
Fiodor Dostoïevski (écrivain)
François Mitterrand (président français)

Sagittaires célèbres
Kim Basinger (actrice)
Walt Disney (auteur de dessins animés)
Jim Morrison (musicien des Doors)
Guy Thys (entraîneur de football)
Neil Young (pop star)
Eugène Ionesco (écrivain)
Randy Newman (pop star)

Capricornes célèbres
Elvis Presley (pop star)
Joseph Staline (ex-président d'URSS)
Jeanne d'Arc (héroïne du Moyen Age)
Martin Luther King (adversaire de l'apartheid)
David Bowie (pop star)
Rod Stewart (pop star)
Robert Hossein (metteur en scène)
Woody Allen (acteur et metteur en scène)
Diane Keaton (actrice)
Faye Dunaway (actrice)

Verseaux célèbres
Thomas Edison (inventeur)
Mozart (compositeur)
Jules Verne (écrivain)
Charles Lindbergh (premier vol au-dessus de l'Atlantique)
Charles Dickens (écrivain)
Nick Nolte (acteur)
Charles Darwin (scientifique)
Farrah Fawcett (actrice)
Richard Anconina (acteur)

Poissons célèbres
Einstein (chercheur)
Galilée (chercheur)
J.-S.Bach (compositeur)
G.-F. Händel (compositeur)
Noureev (danseur)
Chopin (compositeur)
Bertrand Blier (réalisateur)
Charlelie Couture (chanteur)
Philippe de Broca (réalisateur)
Glenn Miller (compositeur)

SAGITTAIRE

(22 novembre - 20 décembre)

CARACTERE

Vous êtes surprenant, Sagittaire: vous n'éprouvez aucune répulsion à aller à l'école. Evidemment, l'absence occasionnelle de votre prof d'anglais vous réjouit, mais soyons honnêtes: vous trouvez l'école intéressante. Votre caractéristique: vous avez soif d'apprendre!
Lorsque quelque chose vous passionne, vous voulez tout savoir à son sujet et vous oubliez alors tout le reste.
Les autres s'entendent bien avec vous. Si, à l'occasion, une amie vous a un jour insulté, vous ne lui en tenez pas rigueur. Vous n'hésiterez pas à lui offrir une crème glacée de choix. Mais ce que vos amis et amies apprécient le plus en vous, c'est que vous êtes à leur écoute. Lorsque l'un d'entre eux a des problèmes, il peut toujours venir vous confier son chagrin. De plus, il est sûr d'obtenir un conseil judicieux.
Vous n'hésitez pas à prendre la tête d'un groupe. Soyez toutefois prudent, car vous vous exposez ainsi à la critique que, du reste, vous n'acceptez pas très facilement.
Cependant, votre sens de l'autocritique vous honore.

PASSIONS

Lorsque vous voyez un film dont l'action se déroule dans un pays lointain, vous vous imprégnez immédiatement d'images exotiques en vous imaginant déjà sous les tropiques. Dès que vous en aurez l'occasion, vous réaliserez ce rêve en tant que touriste, missionnaire,

médecin, coopérant. Il n'étonnera personne que vous aimez les vacances. Il vous est évidemment impossible de visiter un nouveau continent lors de chaque voyage. Vous pouvez aussi trouver votre plaisir à proximité de chez vous. Vous êtes observateur, si bien que vous aimez parcourir la nature, à la recherche de plantes rares ou de papillons multicolores.
Le soir, votre travail de recherche n'en reste pas là. Vous aimez fréquenter les discothèques ainsi que les soirées privées, pourvu qu'il y ait des amis et... de délicieux petits plats.

AMOUR

Vos flèches, vous les gardez généralement en réserve. Mais lorsque vous êtes amoureux, vous ne cessez d'en décocher. Lorsqu'une flèche atteint son but, vous êtes sûr d'une chose: avec ce partenaire-là, c'est du sérieux... En tant que Sagittaire, vous trouvez qu'il est important non seulement de partager votre amour avec l'autre, mais aussi de poursuivre un but commun: aller travailler en Afrique en tant que coopérants ou mettre sur pied une action contre le déversement de déchets en mer du Nord.
En fait, vous souhaitez que votre ami ou amie soit aussi idéaliste que vous.
Un autre homme ne parviendra jamais à aborder l'amie d'un Sagittaire avant que ce dernier n'entre en action en lui faisant comprendre avec tact qu'elle n'appartient qu'à lui et que personne n'a le droit de poser ne

fût-ce qu'un regard sur elle. Le Sagittaire masculin se montre alors si convaincant qu'il est inutile d'en venir aux mains. Il fait preuve d'autant de tact avec son amie: son comportement est toujours celui d'un gentleman.
Le Sagittaire féminin ne se laisse pas "étouffer" par son ami. Quoique passionnée, elle contrôle parfaitement sa fougue. Elle possède un rire irrésistible. Mais lorsque sa fièreté est atteinte, Monsieur voit déferler sur lui une crise de colère énorme.

Le Sagittaire s'entendra bien avec un autre signe fier, le Lion, qui, lui aussi, aime les voyages lointains pour autant que ce périple ne tourne pas en expédition avec camping sous tente. La Balance constitue également un bon choix puisque ce signe est constamment à la recherche de l'équilibre.
Vous savez exactement ce que la Balance peut vous apporter et cela vous plaît. N'espérez toutefois pas de folles escapades car la Balance a besoin de chaleur et de tendresse.
Vous resterez à l'écart du Gémeau, qui vous semble trop capricieux. S'il aime l'aventure tout comme vous, il en est par contre vite dégoûté. Cette inconstance ne vous convient pas. Ce que vous entreprenez, vous tenez à l'achever.

BONHEUR

Pour un Sagittaire, le bonheur consiste à rendre les autres

heureux. Et pour cela, vous êtes un as. Vous parvenez toujours à aider les autres et à résoudre leurs problèmes.
Vous vous sentez dans votre élément lorsque vous êtes entouré d'amis. Vous aimez raconter des histoires et vous vous réjouissez de voir les autres vous écouter en rêvant.
Lorsqu'on vous rend visite, on est sûr de recevoir de quoi manger et boire car vous êtes un hôte parfait. Vous êtes également le plus grand mangeur de friandises qui soit. Une fois entre vos mains, les paquets de chips et les bouteilles de limonade ne durent pas longtemps. Le fait que cette nourriture ne soit pas très bonne pour la santé ne vous vient à l'esprit que plus tard.

★ CARRIERE

Vous avez non seulement soif d'apprendre mais vous souhaitez également qu'il en soit de même pour les autres.
C'est pourquoi vous n'hésitez pas à les aider. Il n'est donc pas étonnant que bon nombre de Sagittaires soient enseignants, entraîneurs sportifs, mais aussi prêtres ou curés.
Les Sagittaires sont aussi des représentants nés.
En tant qu'amateur de voyages, le Sagittaire évolue évidemment dans son élément lorsqu'il décroche un emploi dans le secteur touristique.
Vous ne vous contentez pas d'un job derrière un guichet, non, vous voulez prendre part à ces voyages!
Les longs voyages culturels ou de découverte de la nature ont votre préférence.
Lorsque vous avez trouvé l'emploi qui vous plaît,vous vous y impliquez à cent pour cent. Vous ne rechignez pas sur les heures supplémentaires.
Au contraire, en faisant des heures supplémentaires, les autres voient au moins votre importance.
Mais faites attention: votre enthousiasme et votre imperturbabilité vous font oublier le temps qui passe.
De nombreux Sagittaires travaillent jusqu'au petit matin...

CAPRICORNE

(21 décembre - 19 janvier)

CARACTERE

En tant que Capricorne, vous souhaitez atteindre le sommet. Comme vous êtes très décidé, non seulement vous le souhaitez, mais en plus, vous y parvenez! Si vous avez pour objectif de réussir un examen, vous le réussirez. Le tout sera de travailler d'arrache-pied, même si au début de l'année, vos notes étaient insuffisantes. Car les Capricornes sont persévérants.
La vie du Capricorne ressemble à une compétition. Dès que le départ est donné, le Capricorne se met à courir. Il ne se rue pas vers l'avant, non, il construit sa course. Les obstacles sont éliminés un par un.
Les concurrents sont progressivement dépassés, jusqu'à ce qu'il franchisse la ligne d'arrivée en vainqueur.
Pour atteindre votre but, vous êtes prêt à travailler intensivement.
Lorsque quelqu'un émet une critique sur votre travail ou sur vous, vous l'écoutez calmement. Vous y réfléchissez et si vous approuvez sa remarque, vous ferez tout pour corriger l'erreur commise.
Vous supportez très bien la critique parce que vous avez une approche réfléchie de tout. Vos sentiments n'entrent pas en ligne de compte. On ne vous voit ainsi jamais pleurer de joie ou de chagrin.
Vous ne faites jamais rien de vraiment "fou", d'extravagant.
Les Capricornes dégagent souvent une impression de tristesse. Beaucoup de personnes trouvent qu'ils ont un caractère fermé.
Lorsque quelqu'un se moque

CAPRICORNE

de vous, vous n'appréciez pas. Vous ne comprenez pas son humour et vous vous fâchez. Vous aimez sortir en toute simplicité avec vos amis et vos connaissances. Lorsque quelqu'un vous calomnie, votre colère peut être terrible!

Vous êtes toujours ponctuel et vous respectez les règles établies. Le policier qui vous dressera un procès-verbal n'est pas encore né.

★ PASSIONS

Le Capricorne aime lire. Pas des romans, mais des manuels d'histoire, de biologie ou de mathématiques. Les Capricornes ne sont pas amateurs de jeux de société ou de sports d'équipe. S'ils font du sport, ils se tournent vers des exercices d'endurance: la course à pied, le vélo ou l'alpinisme. Le premier homme à avoir escaladé le mont Everest, Sir Edmund Hillary, était Capricorne!

Vos programmes TV préférés sont les documentaires sur la nature, la technologie (informatique) et l'économie.

Vous avez horreur des séries télévisées basées sur les intrigues familiales.

Le Capricorne aime l'art, mais pas sous toutes ses formes. Il faut que l'œuvre soit accessible, reconnaissable et que vous soyez capable d'en parler.

Lorsqu'elle fait trop appel aux sentiments, vous décrochez assez vite.

Lorsque vous entreprenez un travail, par exemple lorsqu'il s'agit d'aménager votre cham-

CAPRICORNE

bre, vous y mettez tout votre entrain.
Peu importe le temps que cela prendra. Vous établissez premièrement un plan, vous préparez ensuite les outils et vous vous informez.
Lorsque le travail est terminé, vous nettoyez soigneusement les outils avant de les remettre en place.
Vous êtes très sâge...

★ AMOUR

Le Capricorne n'est pas véritablement sociable. Il n'a pas beaucoup d'amis. Un seul ami suffit. Vous ferez dès lors tout pour que cet ami soit confortablement installé: une bonne assurance, des économies suffisantes, des vacances régulières, une auto... mais n'oubliez pas que l'amour est aussi une affaire de sentiments. Etant donné que vous réfutez très vite vos sentiments, les autres choses telles que l'école, un emploi motivant ou les hobbies peuvent prendre plus d'importance que votre relation amoureuse.
Pourtant, vous ne cesserez pas facilement une liaison. Le Capricorne est quelqu'un d'extrêmement fidèle.
L'idée de se séparer ne lui effleurera jamais l'esprit.
Le Capricorne ne s'entend pas particulièrement avec le Cancer, le Bélier ou la Balance, qui

font trop de cas des sentiments et tiennent trop peu compte du bon sens.
Par contre, une liaison avec un Sagittaire ou un Verseau est indestructible!

★ BONHEUR

Le Capricorne ne recherche pas le bonheur auprès de sa famille ou ses amis. Il le recherche plutôt dans la richesse matérielle et le bien-être. Le Capricorne se réjouit que de posséder un joli cartable, un vélo tout terrain dernier cri et un gros portefeuille.
D'autant plus qu'il a acquis ces objets en travaillant dur et en épargnant sou par sou.
Soyez attentif à votre santé, Capricorne. Si vous avez une migraine, réfléchissez calmement à son origine. Si vous trouvez une réponse, veillez à ne plus répéter cette erreur.
L'automédication ne vous satisfait pas.
Vous préférez consulter un médecin. Il a suivi des études pour cela, n'est-ce pas? S'il vous prescrit des pilules, vous appliquerez la posologie à la lettre.

★ CARRIERE

S'il est un signe qui chérisse particulièrement l'argent, c'est bien le Capricorne. Vous y veillez d'ailleurs d'un peu trop près.
S'il ne tenait qu'à vous, vous ne le dépenseriez pas. Même si votre livret d'épargne aligne une multitude de zéros, vous hésiterez à engager des dépenses. Certains vous trouveront avares (les Lions) tandis que d'autres loueront votre parcimonie (les Vierges).
Le Capricorne ne rechigne pas devant le travail. Vous acceptez ce qui vous est proposé. Au besoin, vous commencerez au bas de l'échelle avant de grimper, lentement mais sûrement. Vous aimez suivre des cours car vous étudiez avec plaisir.
Vos contacts avec vos supérieurs ne sont pas compliqués mais une position de meneur ne vous déplaît pas non plus.

L'HOROSCOPE CHINOIS

En Chine, il existe une légende selon laquelle Bouddha invita un jour tous les animaux à sa fête. Pour exprimer sa gratitude, Bouddha promit une récompense à chaque animal qui accepterait l'invitation.
Seuls douze d'entre eux se présentèrent. Le rat était le premier, suivirent ensuite le buffle, le tigre, le lièvre, le dragon, le serpent, le cheval, la chèvre, le singe, le coq, le chien et, en dernier, le cochon.
Bouddha tint alors sa promesse: il divisa le temps terrestre entre les douze animaux. Chacun à son tour eut droit à la parole pendant un an. Tout ce qui se passait durant cette année était sous l'influence de l'animal qui dominait à ce moment-là. C'est ainsi que, par exemple, toute personne née durant l'année du buffle a les caractéristiques du buffle.

Ainsi est née la légende de la naissance de l'horoscope chinois. Contrairement à l'horoscope occidental, qui divise l'année en douze parties, l'horoscope chinois compte une unité tous les douze ans.

ANNEES LUNAIRES

Les Chinois comptent les années lunaires. Chaque année lunaire est constituée de 12 tranches de 30 jours. Chaque douzième année compte 13 tranches au lieu de 12.
C'est pourquoi les années du calendrier chinois diffèrent des nôtres. Si vous êtes né entre le 6 février 1970 et le 26 janvier 1971, vous êtes du signe du chien, par exemple.
Les animaux choisis par les Chinois dans leur symbolique ne l'ont pas été au hasard. Ils

se suivent en changeant à chaque fois totalement de nature. Au rat agressif et rapide succède le buffle, animal calme et lent. Après le buffle vient le tigre. Suit alors le lièvre peureux...

LES HEURES

Dans l'horoscope chinois, il n'y a pas que les années qui soient dominées par les douze animaux, les heures aussi. Chaque jour est divisé en 12 tranches de deux heures.

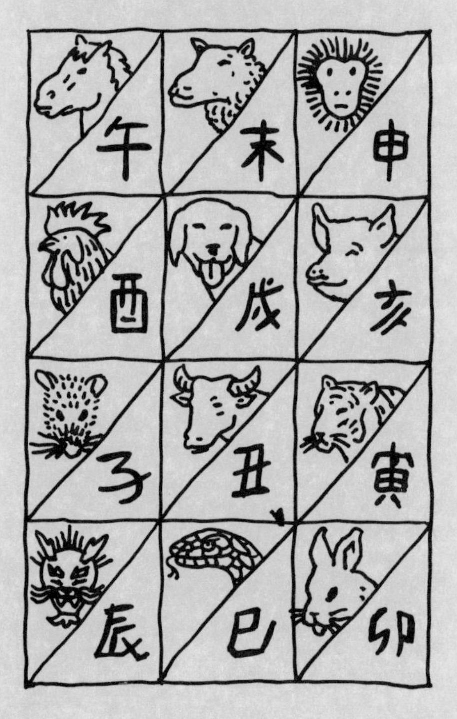

Chaque tranche est placée sous le signe d'un des animaux. Ici aussi, le premier animal est le rat, suivi du buffle, du tigre, du lièvre... Le cochon définit la dernière tranche.
Pour connaître vos traits de personnalité, vous devez donc connaître deux choses: votre année lunaire et la période de votre naissance.
Les deux animaux qui dominent le mois et l'année de votre naissance déterminent votre caractère. Il est même possible qu'il s'agisse d'un seul et même animal!
Ne vous effrayez pas si vous êtes placé sous le signe du rat ou du cochon. Aux yeux des Chinois, ces animaux ne symbolisent pas les mêmes valeurs que nous.
Chaque animal a ses côtés positifs et négatifs.
Ce qui importe, c'est ce que l'être humain fait de ces caractéristiques.
Selon l'horoscope chinois, on n'est donc pas totalement dépendant de son signe.
Il est possible de contrôler ses caractéristiques positives et négatives.
A toi de cultiver les unes et de diminuer les autres.

VERSEAU

(20 janvier - 18 février)

CARACTERE

Le symbole de votre signe astral est un homme qui verse une grande cruche d'eau.
Depuis l'Antiquité, l'eau représente la vie. Vous pourriez donc dire, Verseau, que vous mettez l'entrain là où vous passez. En fait, vous ne cessez jamais de verser l'eau car vous craignez que les choses vieillissent. L'idée de vieillir est terrible à vos yeux.
Vous aimez le changement. Si, aujourd'hui, votre hobby est le violon, demain on vous trouvera assis à l'orgue.
Votre soif de changement vous empêche de vous concentrer correctement, si bien que votre attitude est chaotique.
Vous êtes un gai luron et la personne à qui vous aimez faire des blagues, c'est vous-même. Selon vous, l'autodérision est importante.
Vos amis ne craignent pas de s'embêter en votre présence.
Vous serez celui qui organise une journée de pêche en mer ou la visite d'une caserne de pompiers.

PASSIONS

Dans le zodiaque, votre signe est à l'opposé du Lion.
Vous vous en rendez d'ailleurs compte. Alors que le Lion passe des heures à se pavaner devant le miroir pour vérifier la bonne tenue de ses vêtements, vous optez pour une tenue passe-partout. Que vos vêtements aient un air usé vous importe peu. Vous ne le remarquez d'ailleurs pas, puisque vous ignorez l'existence du miroir.

VERSEAU

Des vêtements doivent être confortables, un point c'est tout. Vous occupez une grande partie de vos loisirs à rêvasser. En pensée, vous imaginez un vélomoteur qui roule sur l'eau ou vous inventez un instrument de musique qui, non seulement, produit les sons les plus farfelus mais qui, en outre, ne ressemble à rien de connu.
En rêvant de la sorte, une multitude d'images défilent sous vos yeux. Au cinéma, les films vous fascinent. Vous passez d'ailleurs une bonne partie de votre temps libre devant la télévision, confortablement installé dans le sofa. Lorsque vous prenez la peine de sortir, vous allez au cinéma.

★ AMOUR

Vous affirmez toujours que vous n'avez pas besoin d'ami ou d'amie.
Est-ce bien vrai, Verseau?
Soyez sincère! Vous avez autant besoin d'amis que les autres, voire plus: vous ne vous sentez dans votre élément que lorsque vous vous trouvez en groupe.
En amour, vous n'êtes pas facile à satisfaire. Votre ami ou amie doit être différent des autres. N'allez surtout pas penser que le Verseau masculin a pour idéal une jolie fille aux longs cheveux, qui a de gentils parents et un chien docile.
Il préférera vivre avec une Africaine élevée par ses trois oncles, qui porte la cicatrice d'une morsure de serpent et qui fume le cigare.
Avec une telle partenaire, le Verseau se fera remarquer; c'est ce qu'il cherche. Le Verseau féminin recherche un par-

tenaire qui soit créatif, avec qui on ne s'embête pas une seconde. C'est pourquoi il doit être capable d'échafauder constamment des plans surprenants. Lorsqu'il invite son amie Verseau au restaurant, il doit la surprendre: il l'emmènera au restaurant japonais, où l'on mange à même le sol, ou dans un restaurant bourguignon, où il est recommandé de se lécher les doigts.
Quoique les partenaires du Verseau doivent faire preuve d'originalité, ils ne doivent pas trop attirer l'attention. Ceci est le privilège du Verseau.
Le Verseau va de pair avec le Gémeau. Tous deux sont à la recherche de l'original. Le Gémeau se reconnaît par son intérêt pour de nombreuses choses variées: du tigre aux théories de Socrate.
Les Lions et les Taureaux vous plaisent moins. Vous les trouvez vaniteux. Ils passent des heures à arpenter les magasins à la recherche de babioles que vous détestez. Vous préférez partir dans une de vos aventures...

BONHEUR

Vous n'êtes heureux que lorsqu'il y a quelque chose à vivre. Rester assis, un livre entre les mains, vous rend malade.
Vous devez toujours être en mouvement.
Lorsque des volontaires sont demandés pour accompagner un groupe d'enfants handicapés à la ferme, vous proposez votre candidature.
Vous ne serez heureux que si vous voyez que ces enfants se sont amusés. Vous fournissez beaucoup d'efforts en n'oubliant pas de raconter une bonne blague au passage.
Telle est votre nature, Verseau: lorsque vous vous impliquez dans une activité, vous vous y consacrez complètement.
Vous êtes donc un idéaliste de premier ordre, tout en restant un peu naïf. Vous aimeriez que toutes vos bonnes idées se réalisent. Malheureusement, vous vous heurtez à des murs. Ce que vous voulez n'est pas toujours réalisable et si ça l'est, il se trouve toujours des adversaires à vos plans.

VERSEAU

En ce qui concerne votre santé, les Verseaux débordent d'énergie et vivent généralement vieux. Veillez toutefois à soigner correctement les petites maladies, au risque de développer des complications.

CARRIERE

Travailler de neuf à dix-sept heures chaque jour, en effectuant quotidiennement les mêmes tâches, ce n'est pas pour vous. Votre imagination fertile et votre intérêt pour la technique vous prédisposent à être un inventeur... Jules Verne constitue votre meilleur exemple. Il a décrit des sous-marins et des avions avant que ceux-ci n'aient été inventés. Les professions qui vous conviennent sont la peinture, l'architecture, l'ingénierie ou l'urbanisme.
Si votre métier vous permet de gagner beaucoup d'argent, votre ambition première n'est pas de vous enrichir. Si vous ne vous alliez pas à une Vierge ou un Capricorne, vous risquez de vider votre porte-monnaie très rapidement!

POISSONS

(19 février - 20 mars)

CARACTERE

Les Poissons sont des animaux sensibles. Si vous les écrasez un peu trop, vous abîmez leurs écailles.
Le Poisson cache sa sensibilité en se présentant autrement qu'il n'est en réalité. Il adore jouer un rôle.
Les Poissons peuvent se comporter en super-machos ou en mégères de première classe alors qu'en réalité, ils sont tout le contraire, et d'une douceur extrême.
Le Poisson n'a pas besoin d'être au lit pour commencer à rêver, car il est constamment dans les nuages.
Son imagination est si développée qu'il ne sait plus souvent distinguer la réalité du rêve. Si vous rêvez d'effectuer un trekking en Islande, vous raconterez à vos amis que vos prochaines vacances, vous les passez en Islande.

PASSIONS

Personne ne s'étonnera que vous aimiez le théâtre.
D'ailleurs, vous êtes constamment en représentation. Vous aimez adopter une personnalité fictive et vous glisser dans la peau d'un personnage. Sur scène, vous préférez jouer le rôle du héros (peut-être parce que vous n'êtes justement pas un héros?): un pirate qui sauve la sirène de la noyade ou une sirène qui fait revenir à la vie un terrible pirate...
Vous trouvez la vie quotidienne triste et lassante. C'est pourquoi vous essayez d'égayer vos loisirs.

POISSONS

Vous aimez peindre, dessiner ou vous intéresser aux choses "supérieures". Par "supérieur", vous entendez tout ce qu'on ne peut pas voir mais qui existe pourtant.
Tout ce qui se trouve entre ciel et terre vous intéresse. Vous dévorez les ouvrages qui traitent de la méditation, du spiritualisme ou de la religion. Le yoga vous intéresse aussi. Ne serait-ce que pour pouvoir vous envoler...

AMOUR

L'amour est votre hobby préféré. Vous adorez séduire. Lorsque vous êtes amoureux de ce garçon qui vient toujours à la piscine ou de cette fille rencontrée au supermarché, vous n'avez plus qu'une chose en tête: le ou la séduire à tout prix.
Si vos tentatives échouent, vous êtes alors le plus malheureux du monde.
Votre confiance en vous est tellement ébranlée qu'un certain laps de temps passera avant que vous ne jetiez votre dévolu sur quelqu'un d'autre.
Vous aimez tellement séduire que vous ne vous contentez pas toujours d'une seule conquête. Votre ami ou amie vous en tient parfois rigueur.
Mais lorsque vous aimez vraiment quelqu'un, vous réfléchissez à deux reprises avant de vous lancer dans de nouvelles conquêtes.
Vous vous accrochez alors fidèlement à votre amour.
Faites alors attention, Poisson!

POISSONS

Votre partenaire ne souhaite peut-être pas vous avoir en permanence à ses côtés.
Les Scorpions vous mettent immédiatement à l'aise. Il est vrai que leur côté mystérieux vous fascine tout de suite. Vous êtes sous le charme...
En outre, le Scorpion dégage une impression de sécurité, dont vous aimez tirer parti.
Le Bélier vous aimez également convient également bien, qui n'hésite pas à affronter le danger, ce que vous admirez. En prenant un Bélier pour ami ou amie, vous vous savez inattaquable car votre Bélier va vous défendre avec acharnement!
Les signes avec qui vous vous accordez le moins sont le Sagittaire, le Gémeau et la Vierge.

★ BONHEUR

Etant donné que vous êtes très sensible, vous recherchez la sé-

curité auprès de vos amis et chez vous. A la maison, vous cessez de jouer un personnage afin d'être vous-même.
Vous veillez à avoir une chambre confortable et ne négligez jamais d'installer un fond musical. Bach et Prince sont vos compositeurs favoris.
Vous trouvez également le bonheur dans les choses que vous faites. Si vous ne vous plaisez pas à l'école, mieux vaut changer d'établissement, car vous rejetez catégoriquement ce qui vous ennuie. Dans une école qui vous plaît, ou dans un travail que vous aimez, vous êtes dans votre élément!
Les Poissons sont souvent malades. On dirait parfois qu'ils aiment être malades, afin de reprendre vigueur durant les périodes de repos.

CARRIERE

Les Poissons ne ressentent pas le besoin de gagner beaucoup d'argent. Les jobs grassement rémunérés ne vous intéressent pas. "Laissons le stress aux autres", vous dites-vous. Il est plus important à vos yeux d'avoir un métier motivant, faisant appel à la créativité, comme l'installation d'étalages. Ce type de profession permet de ne pas avoir une nuée de collègues autour de soi. Vous préférez en effet ne travailler qu'en petite équipe, voire seul.
Si vous ne décrochez pas rapidement un métier rémunéré, vous ne resterez pas les bras croisés. Vous accomplirez alors un travail bénévole. Vous aimez en effet aider les autres, que vous soyez payé ou pas.
Vos collègues vantent vos mérites. Lorsqu'un collègue doit travailler le week-end alors qu'il avait prévu autre chose, vous êtes le premier à proposer un échange. Tel autre collègue, confronté à de graves problèmes sait que vous lui tendrez la main.
Votre sensibilité vous aide à comprendre les autres.
Il n'est dès lors pas étonnant que l'on retrouve beaucoup de psychologues et de psychiatres parmi les gens du signe du Poisson.

APERCU

	Caractère	Passions
Bélier	-combatif -courageux -catégorique -pense noir ou blanc	-aventure -sport
Taureau	-têtu -persévérant -pratique	-style -art -sortir
Gémeaux	-intéressé -humour -instable	-défis -voyages -nouveauté
Cancer	-circonspect -indirect	-théâtre -histoire
Lion	-fier -fidèle -serviable	-frime -voyages -luxe
Vierge	-précis -sobre -objectif	-sports cérébraux -broderie
Balance	-équilibré -persévérant	-art -musique -vêtements
Scorpion	-mystérieux -chaotique -complexe	-réfléchir -créativité -recherche le “supérieur”
Sagittaire	-curieux -jovial -dévoué	-voyages -enquêter -sortir
Capricorne	-décidé -sensé -pas exubérant -ponctuel	-lire -sports individuels
Verseau	-impulsif -chaotique -humour	-imagination -films -technologie
Poissons	-aime sécurité -rêveur -imaginatif	-théâtre -religion -spiritualisme

GENERAL

Amour	Bonheur	Carrière
-câlin -dominant -a du tempérament	-actif -fort	-ambitieux -meneur -indépendant
-tendre -séducteur -fidèle -jaloux	-matérialiste	-veut résultats -créatif -pratique
-aventurier -changeant -sociable	-pressé -distrait	-négociateur -diversité
-rêveur -casanier -attentif	-confort -sensible	-aidant -plaisir avant argent
-coups de cœur -dominant -jaloux	-aime la vie -facile	-meneur -organisateur
-discrétion -fidèle -dévoué	-casanier -peur du risque	-consciencieux -qualité -économe
-aime câlins -charmant -amour profond	-juste -veut le bonheur des autres	-négociateur -représentant -artiste
-impulsif -enflammé -fidèle	-intensif -prend des risques -indépendant	-responsable -indépendant -aime défis
-fidèle -camaraderie -tacticien	-casanier -gourmet	-aime apprendre -organisateur
-fidèle -camaraderie	-bien-être -santé à surveiller	-économe -travailleur
-difficile -recherche partenaire particulier -veut beaucoup d'attentions	-idéaliste -actif	-dépensier -horaire flexible -créatif
-conquérant -aime séduire -s'accroche	-sensible -recherche bonheur -casanier	-créatif -indépendant -collégial

CARTE ASTRALE

BELIER

élément:	signe du feu
signe principal, fixe ou mobile:	signe principal
couleur préférée:	rose-rouge
planète:	Mars
organe sensible:	tête

TAUREAU

élément:	signe de terre
signe principal, fixe ou mobile:	signe fixe
couleur préférée:	orange-rouge
planète:	Vénus
organe sensible:	gorge et cou

GEMEAUX

élément:	signe d'air
signe principal, fixe ou mobile:	signe mobile
couleur préférée:	orange
planète:	Mercure
organe sensible:	poumons, nerfs

CANCER

élément:	signe d'eau
signe principal, fixe ou mobile:	signe principal
couleur préférée:	ocre
planète:	Lune
organe sensible:	estomac

LION

élément:	signe du feu
signe principal, fixe ou mobile:	signe fixe
couleur préférée:	jaune canari
planète:	Soleil
organe sensible:	cœur

VIERGE

élément:	signe de terre
signe principal, fixe ou mobile:	signe mobile
couleur préférée:	vert clair
planète:	Mercure
organe sensible:	intestins

CARTE ASTRALE

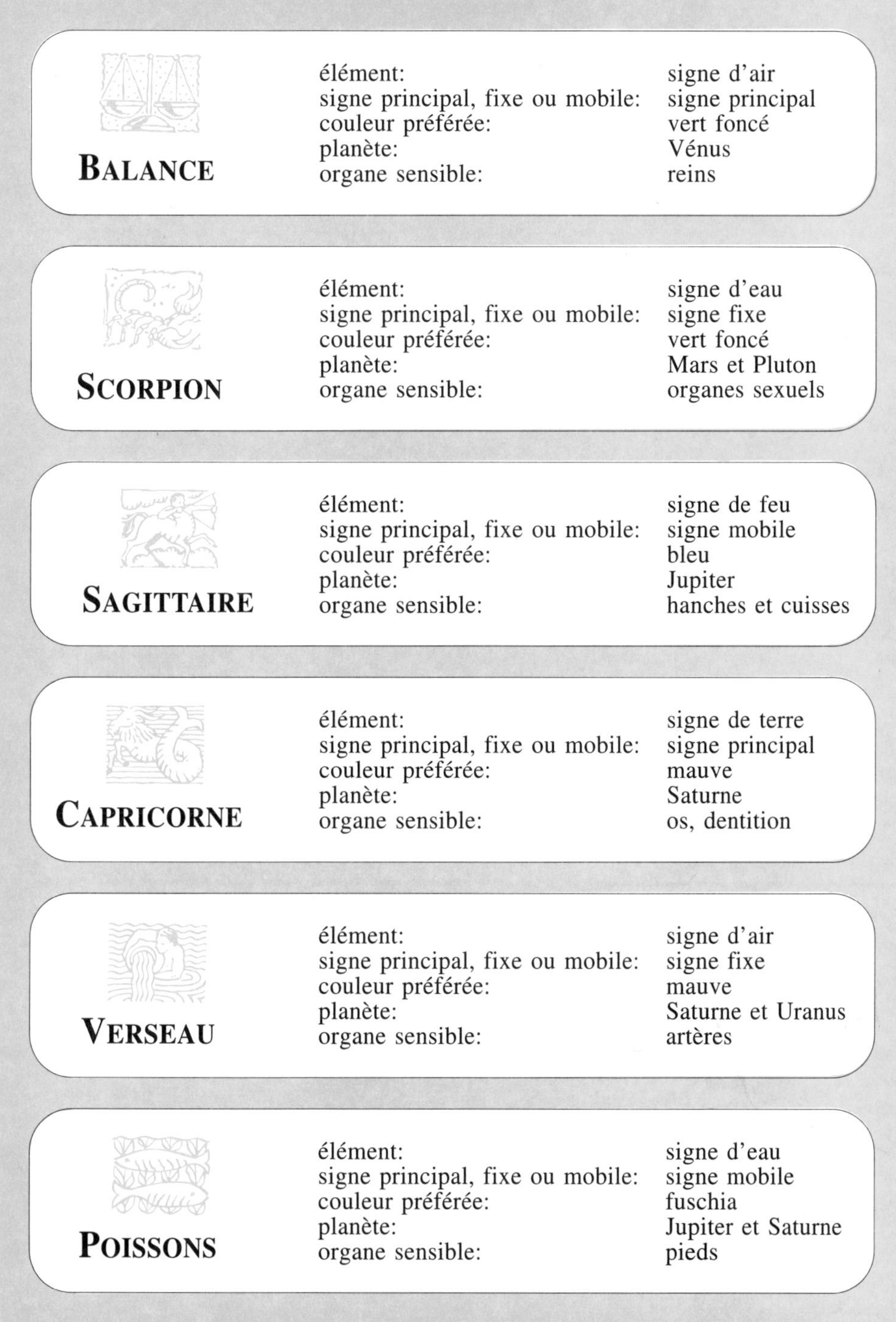

BALANCE

élément:	signe d'air
signe principal, fixe ou mobile:	signe principal
couleur préférée:	vert foncé
planète:	Vénus
organe sensible:	reins

SCORPION

élément:	signe d'eau
signe principal, fixe ou mobile:	signe fixe
couleur préférée:	vert foncé
planète:	Mars et Pluton
organe sensible:	organes sexuels

SAGITTAIRE

élément:	signe de feu
signe principal, fixe ou mobile:	signe mobile
couleur préférée:	bleu
planète:	Jupiter
organe sensible:	hanches et cuisses

CAPRICORNE

élément:	signe de terre
signe principal, fixe ou mobile:	signe principal
couleur préférée:	mauve
planète:	Saturne
organe sensible:	os, dentition

VERSEAU

élément:	signe d'air
signe principal, fixe ou mobile:	signe fixe
couleur préférée:	mauve
planète:	Saturne et Uranus
organe sensible:	artères

POISSONS

élément:	signe d'eau
signe principal, fixe ou mobile:	signe mobile
couleur préférée:	fuschia
planète:	Jupiter et Saturne
organe sensible:	pieds

LEXIQUE

Archétype : un archétype est un trait de caractère stéréotypé qui se retrouve dans la mythologie grecque et s'applique encore aux êtres humains contemporains.

Ascendant : la constellation qui apparaît à l'horizon lors de votre naissance.

Astrologie : ce mot provient du grec et signifie littéralement "étude des étoiles".

Constellation : au troisième millénaire avant J.-C., les astrologues savaient que les étoiles étaient plus ou moins immobiles alors que les planètes se déplaçaient. Des groupes d'étoiles, appelés constellations, formaient des dessins dans le ciel. On dénombre quelque 80 constellations. Les constellations jouaient un rôle important pour les pêcheurs (grecs), car elles leur permettaient de déterminer leur position en mer. L'astrologie s'intéresse aux 12 constellations traversées par le Soleil.

Descendant : la constellation qui descend à l'horizon au moment de votre naissance.

Horoscope : le mot horoscope signifie "observation du temps". Tirer l'horoscope de quelqu'un signifie déterminer son destin en fonction de la position des étoiles à sa naissance.

Horoscope chinois : horoscope contenant 12 animaux symboliques différents. Un de ces animaux domine le ciel pendant 12 ans. C'est l'année de naissance qui détermine le signe de l'individu.

Horoscope de la naissance : un horoscope de la naissance est la carte du ciel telle qu'elle se présentait au moment et au lieu de la naissance. La terre en est le centre, autour duquel gravitent les 12 signes du zodiaque.

Planètes : l'astrologie considère que 8 planètes plus la Lune et le Soleil influencent la personnalité des individus. Ces planètes sont Mercure, Vénus, Mars, Jupiter, Saturne, Uranus, Neptune et Pluton.

Signe d'air : les signes d'air sont beaux parleurs, ont de bonnes idées, qu'ils mettent en pratique. Les Gémeaux, Balances et Verseaux sont des signes d'air.

Signe d'eau : les signes d'eau sont sensibles, imaginatifs, sociables et discrets. Ils s'intéressent à l'insaisissable. Le Cancer, le Scorpion et le Poisson sont des signes d'eau.

Signe de feu : Les signes de feu sont enthousiastes, vivants et impulsifs. Aventuriers et curieux, ils sont toutefois impatients et ont peu de sens pratique. Le Bélier, le Lion et le Sagittaire sont des signes de feu.

Signe de terre : les signes de terre ont l'esprit logique, sont sensibles et ont le sens pratique. Ils sont à la recherche de la richesse et de la nourriture. Ils sont un tantinet matérialistes. Le Taureau, la Vierge et le Capricorne sont des signes de terre.

Signe mobile : les signes mobiles aiment le changement et la flexibilité. Ils tentent de mettre leurs idées en pratique. Le Gémeau, la Vierge, le Sagittaire et le Poisson sont des signes mobiles.

Signe principal : Les signes principaux sont énergiques, ils prennent le commandement et aiment l'action. Ils aiment s'extérioriser. Le Bélier, le Cancer, la Balance et le Capricorne sont des signes principaux.

Zodiaque : Comme, vues de la Terre, les planètes, la Lune et certaines constellations se meuvent dans la même partie du ciel, on dirait qu'elles appartiennent à une zone céleste bien déterminée. Cette "ceinture" est appelée le zodiaque, qui se divise en 12 zones semblables appelées les "constellations". Ces constellations ont pour nom: *Aries* (Bélier), *Taurus* (Taureau), *Gemini* (Gémeaux), *Cancer, Leo* (Lion), *Virgo* (Vierge), *Libra* (Balance), *Scorpio* (Scorpion), *Sagittarius* (Sagittaire), *Capricornus* (Capricorne), *Aquarius* (Verseau), *Pisces* (Poissons).